Richard Eilenberg

Petersburger Schlittenfahrt

Sleighbell Tinkle
En Traîneau

Klavier vierhändig

CRZ 27 325
ISMN M-2040-0217-7

Musikverlag Cranz · Mainz

PETERSBURGER SCHLITTENFAHRT
Galopp

En Traîneau ⸺ Sleighbell Tinkle
Souvenir de St Petersbourg · Memories of St Petersburg
Galop

SECONDO

Richard EILENBERG, Op.

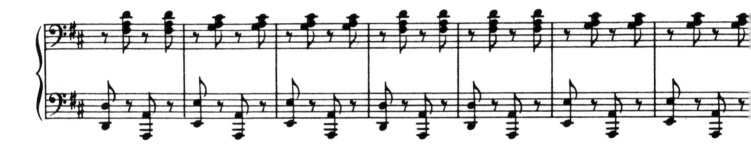

PETERSBURGER SCHLITTENFAHRT
Galopp

En Traîneau —— Sleighbell Tinkle
Souvenir de S.t Petersbourg   Memories of S.t Petersburg
Galop

PRIMO

RICHARD EILENBERG, Op. 57.

© 1951 Musikverlag Cranz, Mainz
Printed in Germany

SECONDO

Musikverlag Cranz, Mainz 27325

Vierhändige Klaviermusik

Für den Anfänger
-Auswahl-

Henk Badings
Arcadia
Kleine Klavierstücke
Heft 4: Zehn kleine Stücke, Diskant im Fünftonumfang
Heft 5: Zehn kleine Stücke, Diskant auf zehn Tasten
ED 4179/80

Fröhlich laßt uns musizieren
Ein Spielbuch für den Klavier-Gruppenunterricht zu drei und vier Händen (Kästner/Spittler)
ED 2697

Fröhliche Tänze nach alten Weisen (17. Jahrh.)
(Emonts), ED 5176
Inhalt: Werke von John Playford · Aus dem Fitzwilliam Virginalbook · Michel P. de Montéclair · Pierre Attaingnant · Jean Baptiste Lully · Henri Desmarets · André C. Destouches · André Campra · Erasmus Widmann · Tilman Susato · Aus dem Klavierbuch der Regina Clara im Hoff · Samuel Voeckel

Harald Genzmer
Spielbuch · 2 Heft · ED 2758/59

Alexander Gretchaninoff
Album (Rehberg) · ED 1171
Im Grünen, op. 99 (Kilp) · ED 1172

Cornelius Gurlitt
Der Anfänger, op. 211 · ED 197

Joseph Haydn
Lehrer und Schüler - Il Maestro e lo Scolare (Hob XVIIa: 1) · ED 01052

Christoph Hempel
Klavier zu zweit
Neue vierhändige Stücke für den Klavierunterricht
2 Hefte · ED 7423/24

Paul Hindemith
Sonate · ED 3716
Symphonie „Mathis der Maler" (Transkription) ED 3286
Symphonische Tänze (Transkription) · ED 3717

G. Frank Humbert
Zu zweien · Drei kleine Stücke
(Walzer · Barkarole · Marsch) · ED 3776

Karel Husa
Acht böhmische Duette · ED 4779

Mein Kinderliederbuch
(Lutz) · ED 4400

Mein Volksliederbuch
(Lutz) · ED 4325

Das neue Kinderliederbuch
(Schüngeler) · ED 2831

Mátyás Seiber
Leichte Tänze · Ein Querschnitt durch die neuen Tanzrhythmen für instruktive Zwecke · ED 2529

Vierhändiges Spielbuch für den ersten Anfang
(Emonts) · ED 4793

Spielbüchlein für den ersten Anfang
Fünftonstücke für Klavier zu zwei und vier Händen (Kaestner/Spittler) · ED 2696

Vierhändiges Tanzbüchlein
Kleine melodienreiche Tänze aus verschiedenen Zeiten und Ländern (Kaestner/Spittler) · ED 2695

Vermischte Handstücke
für zwei Personen auf einem Klavier aus dem 18. Jahrhundert (Kreutz) · ED 2699

Käthe Volkart-Schlager
Der Spielgarten
14 leichte Klavierstücke · ED 3775

Mohrentanz und Mummenschanz
Tänze · ED 4895

Für den Fortgeschrittenen
- Auswahl -

Johann Christian Bach
Rondo F-Dur · ED 08308

Ludwig van Beethoven
Marcia C-Dur und Gavotta F-Dur, op. 45
ED 09583
Sonate D-Dur, op. 6 · ED 01048

Georges Bizet
Marsch aus „Jeux d'enfants" · ED 09193
Das Kreiselspiel/Die Puppe
aus „Jeux d'enfants" · ED 09704

Johannes Brahms
Walzer, op. 39 · ED 1656
Ungarische Tänze Nr. 5/6 · ED 07575/76

Anton Bruckner
Drei kleine Stücke · ED 09194

Anton Dvořák
Slawische Tänze, op. 46 (Herrmann) 2 Hefte
ED 4606/07
Slawische Tänze, op. 72 (Herrmann) 2 Hefte
ED 4608/09

Edward Elgar
Salut d'amour, op. 12 · ED 11172

Anthony Gilbert
Sonata No. 2, op. 8 · ED 11019

Edvard Grieg
Norwegische Tänze, op. 35 · ED 4695

Kurt Hessenberg
Sonate c-Moll, op. 34/1 · ED 1404

Karel Husa
Acht böhmische Duette
Ouvertüre · Rondeau · Chanson mélancolique · Marche funèbre · Elegie · Kleines Scherzo · Der Abend · Slowakischer Tanz · ED 4779

Vierhändiges Klassikerbuch
Leichte Originalwerke klassischer Meister
(Rehberg) · ED 2528

Vierhändiges Klavierbuch
Leichte bis mittelschwere Originalkompositionen von Beethoven bis Dvořák (Herrmann/Sonnen)
ED 4550

Franz Liszt
Ungarische Rhapsodie cis-Moll, Nr. 2 · ED 06524

Wolfgang Amadeus Mozart
Eine kleine Nachtmusik
(KV 525) · ED 2505 · Sonderausstattung · ED 5196
Sonate C-Dur (KV 19d) · ED 4285
Sonate D-Dur (KV 381) · ED 01015

Franz Schubert
Ballettmusik II G-Dur, op. 26 aus „Rosamunde"
ED 04077
Sechs Ländler und elf von Brahms vierhändig gesetzte Ländler · ED 2338

Sonaten für Liebhaber
Von Joh. Chr. Bach, J. W, Häßler, J. Haydn und G. Fr. Wolf (Frickert) · ED 5460

Richard Strauss
Rosenkavalier-Walzer (Singer) · AF 5916

Daniel Gottlob Türk
Tonstücke für vier Hände
(Doflein) · Zwei Hefte · ED 2296/97

Vierhändiges Vortragsbuch
Eine Sammlung leichter und mittelschwerer Originalkompositionen (Schüngeler)
Band I (leicht) · ED 2892/Band II (mittelschwer)
ED 2893

Richard Wagner
Sämtliche Klavierwerke zu zwei und vier Händen
ED 7000

Carl Maria von Weber
Andante con Variazioni · ED 09581

Eberhard Werdin
Slawische Tanzweisen mit Variationen · ED 4495

Friedrich Zipp
Canzona e Sonata, op. 22 · ED 3972